上　篇　先定制度，再谈管理——管理就是定制度抓执行

下　篇　胜在制度，赢在执行——好制度贵在执行到位

上篇

先定制度，再谈管理

——管理就是定制度抓执行

管理是植物，制度是土壤，只有肥沃的土壤，才能滋养和培育出繁茂的植物；只有完善的制度，才能确保企业长盛不衰。因此，管理者重视企业的制度建设，重视用制度体系管理企业，这样企业才能步入科学化、规范化的轨道，全体员工步调一致，充分发挥团队的作战水平。

第一节　优秀的企业必有优秀的制度

据媒体报道，美国投资银行雷蒙德·詹姆斯的分析师塔维斯·麦克柯特表示，2012 年第一季度全球手机产业利润中，苹果公司占了约 80%，其余的归三星所有。通过这一点，我们可以强烈地感受到苹果公司的统治力。

事实上，苹果公司的统治力不仅限于手机行业。在 2012 年，他们的市值高达 5600 多亿美元，超出全球第二的埃克森美孚 1500 多亿美元的中石油市值不到苹果的一半，中国的三大移动通信公司（中国移动、中国电信、中国联通）的市值总和，约为苹果的一半。

如果评判一家企业是否优秀的标准是市场占有率，那么苹果、微软、谷歌、英特尔等企业是当之无愧的。这些企业有什么共同之处？那就是完善的企业制度。

对于一个企业来说，优秀的制度都是不可或缺的基石。没有优秀的制度，就谈不上优质的管理，就不可能获得高效的企业产出。没有优秀的制度，就不可能成就优秀的企业。因此，重视创建优秀的制度，是每个企业管理者都应重视的课题。而世界上那些早已重视这一课题的企业，如今已经成为佼佼者。

美国著名的英特尔公司，从创立那天开始，就十分重视制度建设，公司各个方面都有明确的制度规定。以最简单的考勤制度为例，英特尔规定：员工每天早上 8：00 开始上班，如果谁 8：05 才报到，就要上“英雄榜”，背负迟到的“罪名”。即使他前天晚上加班到半夜，第二天仍然要按时上班。

这个制度规定是在20世纪70年代推出的，当时美国社会盛行个人享乐主义，英特尔公司为了规范员工，才出台了这项严格的制度。

除了考勤制度之外，英特尔其他方面的制度也很健全，生产制度、财务制度、用人制度、销售制度等，都有清晰的规范。人人都以这些规范为准则，否则，将会受到相应的处罚。与很多强调人性化管理的企业不同，英特尔一贯强调制度胜于一切。

如今强大的英特尔令众多企业羡慕和仰视，然而，如此商业帝国并不是一夜之间建立起来的。它也是由小到大、由弱到强，一步步发展而来的，只不过它一开始就重视用制度来管理公司，按制度办事，这才有了今天的英特尔。因此，只要我们坚持用优秀的制度规范企业，坚决按制度管理企业，有朝一日，我们也可能建造属于自己的商业帝国。

那么，什么样的制度才称得上是优秀的制度呢？优秀的制度应具备哪些特点呢？

优秀制度的特点

◎优秀的制度是与时俱进、不断完善的

优秀的制度从来都不是一成不变的，而是随着企业发展和外界竞争状态的变化，保持与时俱进、不断完善的。

一家公司有这样一条制度：一个员工是否受到表彰、受到多大的表彰，要看他工作中发生的意外事故的多少。可笑的是，这项制度针对的却是一群从事现代化生产机器的员工，他们一年到头也没什么事故发生。因此，生产部主管和员工年年受表彰。

其实，当初这项制度是结合现实情况推出的，因为当年生产车间设备落后，经常发生事故，产品合格率得不到保障。后来，随着企业生产设备的更新换代，生产事故不断降低，但是这项制度却没有废除，所以，才有了如此可笑的情况。这就是制度没有与时俱进的表现。

◎优秀的制度不是完美的，而是合理的

很多管理者认为，优秀的制度是完美无缺的，其实这是一种误解。就像人一样，世界上没有完美的人，也没有完美的企业，同样没有完美的制度。所谓优秀的制度，确切地说，它是适合本企业的制度，是合理的、趋于完善的。也就是说，把苹果公司的制度照搬到你的企业，不一定就能发挥出应有的作用，原因是它可能与企业实际情况不符。

◎优秀的制度不仅能解放管理者，更能激发员工斗志

优秀的制度之所以能够解放管理者，是因为怎样做对，怎样做不对，制度里都有明确的规定，员工在制度的规范下各司其职，工作有章可循，企业处于有序的运行状态。在这种情况之下，管理者就不用为一些繁杂的琐事操心，可以把精力放在大的事务上。

同时，由于制度公平、合理、规范，干多干少不一样，干好干坏不一样，有奖有罚，员工的积极性就会得到最大限度的激发，整个团队的工作效率就很有保证，这样的企业将会充满战斗力。

第二节　一时取胜靠计策，长久取胜靠制度

古希腊有一句谚语："狐狸多机巧，刺猬仅一招。"意思是，狐狸机灵，经常有奇思妙想的鬼点子，让自己有所斩获。而刺猬只有一招，那就是遇到危险时缩成一团，把浑身的尖刺指向四面八方，让敌人不敢靠近。

有些企业就像狐狸，喜欢投机取巧，甚至投机倒把，用一些小聪明、小计策为企业赚取利润；有些企业则像刺猬，他们只有一招，那就是用制度管理企业，脚踏实地、苦心经营。"狐狸型"企业小聪明再多，也只是偶尔小胜、小打小闹；"刺猬型"企业看似愚笨，但却能长盛不衰，竞争对手永远拿他们没有办法，因为他们会用制度这种"利刺"去保护企业，应对外来的竞争。

身为管理者，如果不希望自己的企业像狐狸那样，只会耍小聪明，只能小打小闹，那就不能忽视制度的建设。也许你的企业当前发展得挺不错，但如果你不重视制度建设，不用制度规范企业，你的企业难有大作为。换言之，如果你采用制度化的管理模式，你的企业将会

发展得更好。在这方面，“老干妈”创始人陶华碧就深谙其道。

陶华碧是一个没有上过一天学的人，但是她比有些饱读诗书的管理者更明白管理之道。

当她的“老干妈”公司越办越大时，她意识到只靠自己、靠人管理是不行的，必须制定合理的规章制度，用制度来管理公司。为此，她让自己的长子李贵山来设计公司的制度。

李贵山是一个转业军人，做事非常讲规矩。进入“老干妈”管理层后，他第一件事就是处理文件，整章建制。他经常把规章制度读给陶华碧听，陶华碧听到重要处时，就会站起来说：“这条很重要，要制定得更具体一些。”当陶华碧听到不妥之处时，也会立即更正，然后再让李贵山修改。如此反复多次，直到满意。

制度初稿确定之后，陶华碧不忘征询部属的意见，还会召集员工开会讨论。通过民主协商的方式，最终确立了大家都认可的制度。就这样，“老干妈”公司在制度的规范下，继续保持强劲的发展势头。

身为企业管理者，绝不能只满足于企业当前的发展状态，不能只满足于小打小闹。如果企业制度还未建立，或还不完善，那么一定要抓紧时间整章建制，出台完善的公司制度。即便公司有制度，也要经常性地思考：公司的制度是否符合当下发展，是否有更好的制度呢？在这方面，阿里巴巴集团为我们做出了榜样。

2009年9月10日，在阿里巴巴成立10周年之际，马云等18名创始人宣布辞去“创始人”身份，开始寻求和尝试更好的企业发展制度——合伙人制。在随后的3年时间，阿里巴巴针对相关合伙人的章程，以及产生的过程均进行了长期和激烈的讨论，并积累了丰富的经验。截至2013年9月10日，阿里巴巴已经分三批产生了28名合伙人；而且集团内部试图产生更多的合伙人选，以便为公司长远发展输入新血，使公司成为一个生态化的组织，拥有多样性和可传承性。

合伙人制指的是共享企业经营所得，并对经营亏损共同承担无限责任。有舆论认为，阿里巴巴的“合伙人”是为了上市而专门设计的，目的是为保证上市后管理层对公司的掌控权。对此，阿里巴巴集团董事局主席马云写了一封邮件给大家，强调说：“我们的合伙制建立的不是一个利益集团，更不是为了更好地控制公司的权力机构，而是一种企业内在动力机制。”

马云在邮件中将合伙人定义为公司的运营者、业务的建设者、文化的传承者，同时又是公司的股东。他认为这样才能更好地坚持公司的使命和长期利益，为客户、员工和股东创造长期价值。

据了解，要想成为阿里巴巴的合伙人，需要在阿里巴巴工作5年以上，具备优秀的领导才能，高度认同公司的文化，并对公司的发展有积极贡献，愿意为公司文化和使命传承尽最大努力。

在合伙人制下，符合入伙条件的员工成为公司的股东，持有公司的股权，对公司的经营享受一定的发言权、决策权，公司发展得好坏，直接关系到他们的利益。在合伙制下，员工不是为老板打工，不是为企业做事，而是为自己工作。很显然，相比于传统的公司制、雇用制，合伙人制可以最大限度地调动员工的积极性。可以说，合伙人制的诞生，是企业长远发展的最大推动力。

第三节　制度不完善，麻烦将不断

企业制度是一个企业制定的，并要求全体成员遵守的办事规程和行为准则。合理的企业制度对企业发展起着巨大的规范和推动作用，而不合理的制度则会造成管理混乱，并直接影响企业的可持续发展。

郑雪在一家民营企业工作，这个企业的管理制度十分严格。公司规定：早上 8：00 上班，迟到 10 分钟以内，扣半天工资；迟到 11 ～ 30 分钟，扣一天工资。尽管员工们迟到的现象比较少，但这种不合理制度的存在，让大家发自内心的反感，大家私底下抱怨公司没有人性，一点人情味都没有。

有一次早晨上班时，天降大雨，公交车一路堵车，最后郑雪 8：09 到公司，值班保安立刻叫住她登记科室姓名，郑雪半天就白干了。后来有人告诉郑雪，以后迟到 10 分钟以上，干脆就请假得了，请假你还可以让自己放松一天，上班累死累活，还没有工资。

经常听到管理者抱怨员工：“上有政策，下有对策。”可有时候，你还真别怪员工有对策，因为问题出在公司，是公司的制度不合理、有漏洞，才给了员工“钻空子”、想对策的机会。人性都是趋利避害的，企业不能出台了一些没有人情味、不合情不合理的制度，却奢望员工一个个品德高尚、毫无怨言地遵守制度。

制度存在的目的是更好地规范大家的行为，建立健康有序的管理机制。一旦成了不合理的约束，就会激起员工的逆反情绪，员工就容易敷衍了事，甚至想办法逃避制度的约束。这会严重打击员工的积极性，影响日常工作的效率。

有一家企业规定：项目经理承包的项目，无论最后成本控制得好不好，有没有给公司节省成本，最后的赢利都要统统上缴。如果项目经理为公司节省了成本，会得到名誉上的奖励。如果工程亏损，也没有任何惩罚措施。结果，公司的项目经理对所负责的项目提不起精神，反正干得好不好没区别。这直接导致很多工程成本过高，最后甚至处于亏损状态，严重损害了公司的利益。

当企业制度流于形式，没有任何实际意义时，好员工也会不知不觉变坏。这就像有人说的那样：“坏制度会使好人变坏，好制度会使坏人变好。”因为人需要约束力，没有约束人就会放任起来，一旦放任就会自流，最后导致公司无法控制和管理。

每个员工都希望自己的业绩越来越好，获得的薪水越来越多，在企业里越来越有向上攀的希望。如果企业用不合理的制度打击员工，让员工看到的是“无望”“绝望”，那么企业就会逼走优秀的员工，愿意留下来的，往往也是一些不思进取、混混度日的平庸之辈。试问，这样的企业还有什么发展希望呢？

完善、合理的制度犹如军队里严明的军纪，而流于形式、没有实际意义的不合理的制度，就像安装于公司内部的炸弹，说不定哪天就会爆炸，到那时公司的灾难就来了。所以，不管你的公司是几个人的小公司，还是几百上千人的大公司，都应该有一套合理、完善的制度，这样才能更好地规范大家干“好事”，促使企业稳健地发展。

身为企业管理者，一定要清醒地认识到制度不完善，给企业发展带来的麻烦：

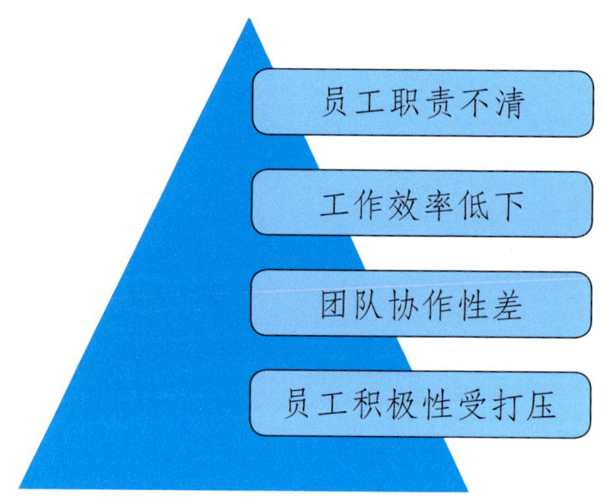

以上几种危害是相互影响、相互恶性循环的。下面我们来逐一分析。

◎员工职责不清

由于制度不合理，导致工作职责不清、工作分配不明，就很容易造成“好像大家都有责任，都应该去做”“但大家都没责任，都不去做”的混乱现象。一旦出了问题，就会造成相互扯皮、推诿责任，给企业造成极大的内耗。

◎工作效率低下

由于没有规范的制度，大家工作处于随意状态下，每天做什么，大家不清楚，而是等着上司来安排，这样就会造成被动等待，消耗时间，影响工作效率。

◎团队协作性差

公司内部有些工作需要团队协作才能完成，可是由于制度不合理，什么类型的工作该由哪些人、哪些部门负责，对此大家不清楚，在协作性上就会严重缺乏主动性，甚至被上司安排协作某项工作时，下属还会有怨言：“为什么叫我去做，而不叫他去做？”这就会影响团队合作的效果。

◎员工积极性受打压

在健全的制度下，员工的付出会得到应有的尊重，通过合理的绩效奖励制度，员工多劳多得，积极性会得到激发。反之，如果干多干少都一样，员工的积极性就会被打压。而那些工作踏实、责任心强的员工，他们的付出没有得到应有的尊重，会对公司感到失望，不但积极性受打压，而且还可能选择离开。

所以，综上所述，公司制度不完善，麻烦将不断。作为企业管理者，一定要认识其中的危害，积极反思公司不合理的制度，不断完善制度，让制度带给员工正能量，给公司发展带来动力，而不是阻力。

第四节　合法是公司制度的基本要素

中国移动有一句大家耳熟能详的广告语：“我的地盘我做主。”这句话用来形容很多企业十分贴切，因为他们抛开法律，按照自己的主观意志来制定公司制度，他们这一做法的潜台词就是：“你是为我打工，所以必须听我的。如果你不想干，可以走。”

赵峰是一家私营企业的人力资源主管，他工作认真负责，好学好问，乐于助人。特别是对新入职的员工，他会非常热情地协助他们解决工作上的问题，大家有问题，都会积极地找他帮忙，赵峰的表现也得到了老板和同事们的一致认可。

可最近，赵峰感到非常苦恼，因为有几位新入职的员工找他咨询公司的社保、带薪休假、加班工资的计算等问题。赵峰在整理人力资源制度之后，发现公司的一些规定和国家法律有冲突。比如，社保缴纳的基数明显低于国家的规定，偶尔加班没有加班费，没有带薪休假的福利，等等。

赵峰把这些情况汇报给老板，老板一直没有答复。赵峰又追问了几次，老板最后对他说：“公司能做到这样，已经很不错了，与周边一些公司相比，我们公司给员工的福利已经算可以的了。与法律冲突又有什么关系，大家想在这里干就不会计较这些。”

诚然，“人在屋檐下，不得不低头”。员工为企业打工，自然会对不合法的制度忍气吞声，即使有怨言，也不会表达出来。可如果有一天，员工与企业发生利益冲突，甚至闹到法庭时，企业恐怕要以败诉收场，以赔偿员工利益损失而告终。

王先生是某公司的汽车货运司机，2014 年 9 月 28 日上午，他驾驶的货运车途经某路口时，发现一名路人骑车横闯马路，为了避让他紧急刹车并迅速打方向盘，结果造成货运车冲向路边的绿化带，并造成了侧翻。车子受到了严重的损害，车上的货物也损失严重，王先生也在事故中受了伤。

公司得知这件事之后，及时派人处理了现场，并将汽车送去修理。事后，上司拿出一张维修凭证和货物损耗证明，要求王先生赔偿公司损失共计 2.7 万元。由于车辆有保险，其中 1 万元的维修费，由保险公司支付，但公司的货物损失 1.7 万元，要由王先生赔付。

王先生认为发生这种事故，责任应该由公司承担，而不应该让员工承担，这个意见与上司发生了分歧。上司拿出公司的规章制度，指着其中一条关于事故的处理办法，对王先生说：“这是按公司制度来的，如果你不遵守制度，那么以后谁还遵守制度？”

可问题是，这项制度根本就是不合法的，万般无奈之下，王先生将公司告上法庭。经过审理，法官当场宣布：王先生所在的公司败诉，同时还要求公司赔付王先生伤病治疗费用 5000 元。

合法性是公司制度的基本要素，这不仅是为了在员工与公司发生纠纷时，可以作为法院判案的依据，更是为了避免员工产生不满情绪。要知道，很多企业员工都有法律常识，对于企业用人制度、福利制度、聘用和解聘制度等，都比较了解。如果企业目中无法，制定的制度不合法，那么员工的合法权益得不到尊重，将会大大打击他们的工作积极性。这对企业留人也是极为不利的。所以，违背法律制定公司制度，这种做法是不明智的。

《最高人民法院关于审理劳动争议案件适用法律若干问题的解释》第 19 条规定：“用人单位根据《劳动法》第 4 条之规定，通过民主程序制定的规章制度，不违反国家法律、行政法规及政策规定，并已向劳动者公示的，可以作为人民法院审理劳动争议案件的依据。”

合法的公司规章制度必须符合这样几个要求：

◎公司规章制度是通过民主程序制定出来的

《中华人民共和国公司法》第 18 条第二款规定：“公司依照宪法和有关法律的规定，通过职工代表大会或者其他形式，实行民主管理。”第三款规定：“公司研究决定改制以及经营方面的重大问题、制定重要的规章制度时，应当听取公司工会的意见，并通过职工代表大会或者其他形式听取职工的意见和建议。”这就是公司制度出台的民主程序，即要广泛征询员工意见，让大家参与到制度的制定中来。

对于企业来说，让员工参与到企业规章制度的制定中来，并不只是为了符合法律的规定，更重要的是，通过这种举措可以激发员工参与意识，让员工感受到企业的尊重，从而激发员工的主人翁意识，这对员工是一种精神激励。

◎公司的规章制度不得违反国家现行的法律、行政法规及政策性规定

《最高人民法院关于审理劳动争议案件适用法律若干问题的解释（二）》第16条规定：“用人单位制定的内部规章制度与集体合同或者劳动合同约定的内容不一致，劳动者请求优先适用合同约定的，人民法院应当予以支持。”

◎公司的规章制度必须向劳动者公示

所谓公示，就是在制度制定完毕之后，要广泛告知员工，让大家知晓制度的具体内容。这样大家才知道公司的期望，才知道什么该做，什么不该做。否则，员工违反了制度自己却浑然不知，等待被公司处罚时才知道，这对员工来说显然是不公平的。

符合以上三个要求，是合法的公司制度从制定到推行不可或缺的，企业管理者需要牢记于心，并落实到制度的制定、推行等具体行动上，做一个合法的公司经营者、管理者，保护员工的合法权益，以赢得人心。

第五节　没有完美，制度要与时俱进

20世纪60年代，美国企业界曾广泛流传这样一个故事：

一个并不擅长指挥的无能的连长，获得了一项最高荣誉。他之所以获奖，只因一条军规：凡连队官兵在军事演习中获得了最高成绩，该连连长即可获得最高荣誉。

这项军规在当初制定时，出于某种特殊原因，有其存在的必要性。但是过了一段时期还在执行，就显得过于陈腐，因为它已经脱离了现实。

企业在发展过程中，也面临着同样的问题——市场在不断变化，企业经营状况和实际情况也在不断变化，因此，企业规章制度应该不断修正和完善，要与时俱进，不断推陈出新，制定适合当下现实的规章制度，才能保证制度的合理性、实用性。

身为管理者的你想必一定清楚：每一项制度的出台，都是着眼于当前企业存在的问题。当问题解决了，新问题又会出现，原来的制度可能就失去了作用。因此，先前制定的制度不

是一劳永逸的，千万不可墨守成规。如果企业用的还是十年前制定的制度，恐怕企业只能走向衰亡。

美国著名的企业管理大师艾柯卡，当年在福特公司担任总经理时，曾积极要求创新企业规章制度，但福特公司的总裁小福特思想保守，墨守成规，不想大费周折地改革制度，因此，他与艾柯卡在经营和管理理念上存在不可调和的冲突。最终，艾柯卡离开了福特公司。福特公司在小福特保守思想和陈旧制度的管理下，业绩在20世纪70年代末至80年代初步步下滑，最后滑落至亏损边缘。

艾柯卡离开福特公司之后，进入了美国克莱斯勒公司担任总裁。当时克莱斯勒已经在破产线上挣扎，原因也是管理者墨守成规、公司制度陈腐。艾柯卡上任之后，大胆地改革了公司以往的制度，积极创新公司制度，用了不到两年时间，就将克莱斯勒从破产线上拉了回来，使其业绩一路飙升，很快，公司业绩就超过了福特公司。

面对强大的竞争压力，福特公司的管理者痛定思痛，意识到革新公司制度的重要性，通过改革制度，才使福特恢复了往日的雄风，保住了自己的市场份额。

克莱斯勒公司与福特公司由破产、亏损走向繁荣，告诉我们一个道理：公司的规章制度一定不能墨守成规，必须根据时代发展的需要，根据外界竞争的态势，根据企业发展的现状，不断更新、完善，这样的制度才能为企业发展注入活力。

企业管理就像开车，管理者就像是司机，在开车时必须眼观六路、耳听八方，手握方向盘，不断地根据路面情况调整方向，增减油门，这样才能安全、平稳、快速地驶向目的地。世上没有一劳永逸的制度，就像司机不可能一直把持着方向盘不动一样。世界上从来就没有完美的制度，真正完美的制度，是需要与时俱进、不断完善的。

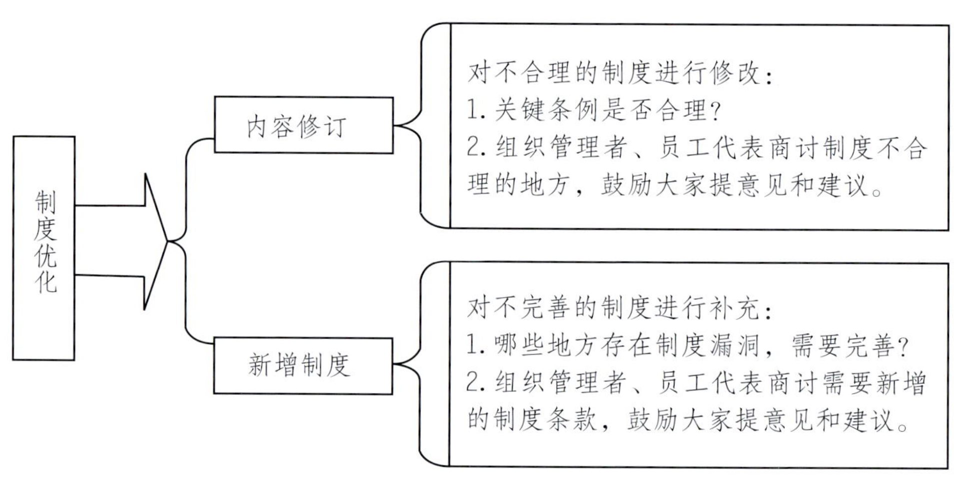

◎对不合理的制度进行修改

每一项制度的出台，都致力于解决当时的现实问题。当问题被解决后，企业又会面临新的问题。旧的制度在新的问题面前，已经失去了作用，或作用大减。这就要求管理者废除不合理的制度条款，用新的、更符合现实的制度取而代之。

比如，有家图书公司曾要求每个员工上班前30分钟，阅读公司订阅的当天报纸，以了解最新信息，从中寻找图书策划的灵感，丰富知识积累，拓宽知识面。可随着网络时代的到来，公司管理者发现网上看新闻、看网络版的报纸更便捷，而且还能为公司节省订阅报纸的费用。于是，公司果断地废除了旧的制度，取而代之的是鼓励大家上网看新闻。这一举措很好地满足了员工的需求，赢得了员工的认可。

◎对不完善的制度进行补充

很多上班族打开电脑后，会习惯性地点开杀毒软件，扫描一下病毒，清理一下垃圾，检查一下是否有软件需要更新，是否有安全补丁需要安装，以保证杀毒软件对电脑的防护力度。其实，企业制度也应该如此，经常检查和反思，看是否有不完善的地方，然后对其进行修正和补充。

比如，有家公司原来规定：员工当天工作必须当天完成，否则，在公司加班也要完成。后来管理者了解到，有时候员工下班急着回家，你强行留他们在公司加班，他们心不在焉，工作效率很低。于是，公司对原有制度进行了补充：当天工作当天完成，否则，在公司加班，或把工作带回家完成，总之，不准拖延完成。经过这样的补充，一下就让该制度变得更有人情味了。员工都能理解，也能很好地遵守。

第六节　好制度要简单、实用、抓重点

笔者考察过不少企业，看过他们的制度文本，其中一些制度文本给我留下很深的印象，这些印象可以用几个字来形容——“长篇大论”“废话连篇”“空而无物”“隔靴搔痒”。如果公司制度具有这些毛病，那么无异于是企业的墓志铭。

具备以上几个特点的制度，看起来很丰满，实际上很骨感。丰满的是外表，那叫臃肿；骨感的是内在，那叫没内涵。当企业把制度变成这样的文件时，只能说管理者们把制度搞得太复杂了，搞得太虚了。其实，真正的好制度是简单、实用、抓重点的。

◎简单表现为：言简意赅、避免啰唆

出台一项制度，是为了让大家遵守，如果表述太啰唆，就会削弱制度的通俗性，影响大家理解和执行。比如，制度开篇就要讲明出台该制度的目的，这往往一两句话就可以表达清楚，根本不需要废话连篇。例如，“为了……目的，特制定本制度”，或者“根据……要求，特制定本规定”。

再比如，有家鞭炮制造厂的《安全守则》中，有这样一条款：“公司厂区内不得燃放可燃性或容易导致燃烧的物品。”这句话就不够简明，不易被人理解，如果换成“厂区内，严禁烟火”是不是简洁、通俗得多呢？

管理者在出台制度时，一定要认识到：制度是针对全体人员的，要考虑到大家的理解能力，越通俗易懂越容易被大家记住，也越容易被遵守，切不可玩“文字游戏”。

◎实用表现为：是为解决问题而推出的

公司出现了什么问题，就要针对这些问题，出台相应的制度，以便解决问题，这就叫实用性。比如，公司的生产事故频繁，针对这个问题，出台一项安全责任和事故防范制度。再比如，公司的产品质量问题层出不穷，针对产品质量问题出台一项制度。

有些企业出台的制度实用性不强，甚至是照搬照抄别人的企业制度，这就不太合适了。因为别人的制度不一定适合自己的企业，更何况是照搬照抄呢？文学大师郭沫若曾经说了这样一句话：“吃狗肉是为了长人肉，而不是为了长狗肉。”拿到制度管理中来讲，是很有讽刺意味的。

有些企业生搬硬套引进所谓先进管理制度，结果导致水土不服，不但解决不了企业的现实问题，反而衍生出一大堆问题。其实，制度没有最好的，适合本企业的才是最好的，适不适合，关键看能不能解决现实问题，这也就是要考虑其实用性。

◎抓重点表现为：针对最紧要的问题设立制度

有些制度条文中，列举了很多无关紧要或关系不大的内容，这会严重削弱制度的威慑力。比如，有一项制度是针对员工上班网聊问题的，但在制度条文中，大量篇幅用于讲述上班网聊的不良影响，这根本就没必要。其实，制度中只需要讲明上班期间不准网聊，以及网聊将会受到什么处罚即可。

第七节　制度要有前瞻性，避免朝令夕改

如果问：最令人讨厌的管理者是怎样的？肯定有人回答："朝令夕改的管理者最令人讨厌。"因为他们昨天出台的制度规定，今天就推倒重来，到了明天，可能又会来一次更改，让人不知所措。瞬间，员工对制度就失去了认同和遵守的积极性。

有一家私营企业，老板在管理上经常朝令夕改，公司所有的规章制度，基本可以说是形同虚设，因为一切都看老板的心情。老板今天心情好，可能会出台一项福利制度；可是明天如果心情不好，可能会予以否认，或说："我忘了昨天出台过福利制度。"或者说："昨天出台的制度没有细想，我还要具体考虑一下。"可是，一旦员工没有按制度去做事，老板这时的记性是最好的，他会对员工说："你为什么不遵守制度？"

曾经有一次，公司计划出台一项绩效考核制度，但是这项制度反复修改了五六次，最后还是规定不明确。或许是因为这些原因，公司的员工频繁流动，今天老板招聘了10名员工，一个星期后，可能一个不剩。

出台制度不是三岁孩子过家家，想制定怎样的制度就制定怎样的制度，想什么时候改一改、换一换，就什么时候改一改、换一换。这样会让员工无法理解制度的出发点，更会打击员工遵守制度、落实制度的积极性。在这样的企业里，员工很难感受到尊重，也看不到希望，因为管理者改变主意比变脸还快，谁还信任他们呢？

一般来说，企业制度朝令夕改，会产生以下几种危害：

（1）直接动摇制度的稳定性

一项制度发挥作用，是建立在稳定的基础上的。也就是说，要想看到一项制度是否起作用，要给它一段时间去实行，考察在实行制度的这段时间，公司的问题有没有解决。如果管理者没有耐心，制度出台三天，见效果不明显，就立马换掉，再出台一项制度，这样再好的制度都发挥不出作用和价值。

（2）降低制度的威信和影响力

管理者在出台制度时朝令夕改，会使员工对制度产生困惑，难以理解和把握制度的要点，从而对制度产生诸多质疑：这项制度能推行多久？它会不会被取代？它是最佳的制度吗？这样就会影响制度的威慑力和影响力。

（3）浪费管理者的时间和精力

管理者不厌其烦地更换制度，极大地浪费时间和精力，不仅增加管理成本，还无法提升管理绩效，这是双重的浪费。

有人可能不禁要问：为什么有些管理者出台制度时，总是朝令夕改呢？其实，原因大致

有这样一些：

（1）追求完美，不断质疑自己，总觉得当前的制度不是完美的。有一种企业管理者有完美主义倾向，他们做事精益求精，不允许有半点瑕疵。就拿出台制度这件事来说，他们总认为当前的制度不是完美的，即便制度推出之后，他们还会反复琢磨和修改，一旦觉得修改之后比原来好，就会立即替换原来的制度，这就造成了朝令夕改。

（2）出台制度时，没有考虑到执行性，推行之后发现遇到了难题，于是更换制度。造成这种情况的原因可能是，出台制度过于主观，缺少先期调查，或没有考虑制度的适用性，生搬硬套别的企业制度，结果造成水土不服，缺少可操作性，于是朝令夕改。

（3）出台制度时，缺少前瞻性，管理者抱着“发现问题再修改，遇到问题再更换”的态度对待制度。我们知道，企业规章制度是一项复杂的系统，如果管理者抱着“走一步算一步”的态度，忽视了制度的前后联系，导致前一项制度与后一项制度缺少连贯性，甚至割裂开来、相互拆台，就很容易造成朝令夕改。

针对以上三种原因，要想避免制度朝令夕改，管理者可以从以下三点去努力：

第一，抛弃追求完美的心态。

前文多次强调，没有完美的制度，如果管理者执拗地追求完美，那无疑是庸人自扰。在出台制度时，管理者要明确一点：到底是针对什么问题出台制度的？针对这个问题，需要什么方法解决？可以达到什么样的效果？如果按照这个思路去制定制度，那么出台的制度大致差不了。至于细节上的不完美，在制度推行过程中，可以“微调”，而不是颠覆性地修改、本质性地修改。

对于有完美之心的管理者来说，在推出制度之前，最好要有一番深思熟虑。如果没有拿定主意，觉得制度的草案还不完美，那就不要宣布，不要推行。直到管理者觉得制度很完美了，再向公司全体宣布，推行这项制度。这是防止朝令夕改的最好办法。

第二，重视前期调研、征询员工意见。

出台一项制度要着眼于解决实际问题，因此，一定要从实际出发，注重前期调研、收集相关资料，深入分析制度的可行性。即便是借鉴其他公司的优秀制度，也要思考是否适用于本企业。另外，一定要调动员工参与，征询大家的意见，确保制度出台经过了民主的程序。当然，这不是说走个过场，而是说要集思广益，积极听取员工的意见。这样，大家面对自己参与制定的制度时，遵守的自觉性和落实的积极性会更高。

第三，往前多看几步，注重制度的前瞻性。

出台制度就像下象棋，最好能往前多看几步：解决了当前的问题，可能会出现什么新问题？对于这些新问题，又该采用哪些制度去应对？如果管理者每次都能多想几步，保持前瞻性的眼光看问题，就可以很好地避免“走一步看一步”，避免一项制度出台一段时间，就被更换掉。

下 篇

胜在制度，赢在执行

——好制度贵在执行到位

企业发展离不开完善的制度，但有了制度并不等于万事大吉，关键是要把制度落实到位，让大家严格遵循，这样制度才能发挥作用；否则，再好的制度都是一纸空文。很多企业缺的不是制度，而是执行。优秀的管理者应该带头做好制度落实工作，营造遵守制度的企业风气，让制度最大限度地发挥正能量。

第一节　没有执行，再好的制度都是废纸一张

笔者见过很多企业，制定的规章制度一套又一套，大到厂纪厂规，小到作息规定、领物规定，不可谓不完善。如果这些制度都贯彻落实下去，对企业发展绝对大有帮助。但遗憾的是，很多企业把制度当成花瓶和摆设，或挂在墙上，或装订成册，锁在保险柜里，导致制度流于形式，没有体现在执行中。

有制度不执行，要制度何用？看看那些破产或倒闭的企业，它们破产或倒闭的原因在哪里呢？很多人可能会说，都是管理者决策失误造成的，或领导不力造成的。不可否认，这当中有这方面的原因，但在管理者决策没有失误、公司制度没有问题的情况下，有些企业依然会破产、会倒闭，这又是为什么呢？其实，出现这种情况的根源在于制度没有贯彻落实。

东北有一家企业倒闭之后，被一家日本公司收购。日本总部只派来一位管理者，该管理者上任后，没有风风火火地改革制度，也没有大批地更换企业人员，而是用工厂原班人马，遵照工厂原来的规章制度搞生产。结果不到一年，工厂就起死回生了。这到底是怎么回事呢？原来这位日本管理者上任之后，只做了一件事，那就是强化制度落实，严格地按照制度办事，用制度管理公司。

从这个案例中，我们可以看到，企业破产或倒闭，出现这样那样的问题，根源可能不在别处，而在于企业制度没有执行到位。因此，管理之道还需回归到制度执行上，只有不折不

扣地执行企业制度，制度才能发挥作用，企业发展才有保障。

美国戴尔公司在不到 30 年的时间里，一跃成为世界最大的 PC 制造商。对于戴尔的成功，很多企业界人士将其归功于它的直销策略。但客观地说，实行直销策略的企业有很多，像戴尔如此成功的企业并不多。为什么戴尔能独树一帜呢？答案是：踏踏实实地落实公司的制度，坚决按制度经营和管理公司。

其实戴尔公司的制度也没有什么神奇的地方，它不过是要求员工尽职尽责地对待本职工作，将上级出台的每一项决策都落实到位。对待产品问题，尤其是细节上的问题，管理者十分关注，这使得戴尔能够生产出高品质的产品。这为戴尔公司的发展奠定了坚实的基础。

强大的执行力是企业的核心竞争力，没有执行力，企业就失去了核心竞争力。执行力在企业制度上的表现就是坚决把制度贯彻落实到位。美国畅销书作家保罗·托马斯和大卫·伯恩在《执行力》一书中说过这样一段话："满街的咖啡店，唯有星巴克一枝独秀；同是做PC，唯有戴尔独占鳌头；都是做超市，唯有沃尔玛雄居零售业榜首，而造成这些不同的原因，则是各个企业的执行力的差异，那些在激烈竞争中能够最终胜出的企业无疑都是具有很强的执行力。"

那么，怎样把制度贯彻落实到位呢？管理者务必做好以下两点：

第一，让企业全体成员抓好制度这根"准绳"。

对于一个国家来说，法律是每一个人行为处事的准绳；对于企业来说，制度是大家行为处事的准绳。让大家以这条准绳为行为处事的标准，是非对错就很容易辨识。做错了要受到惩罚，惩罚之后要改正；做对了要受到奖赏，要鼓励和推广。这样，才能让负能量远离，让正能量不断传递。

笔者曾见过两位幼儿园老师带着一群小孩过马路。为了让孩子们安全地过马路，两位老师让孩子们排成一行，每个人紧紧地握住一根长绳子。两位老师在绳子的两端，一个带头，一个殿后。就这样，大家非常有秩序地过马路。期间，有个孩子的鞋子掉了，他也没有停下来穿鞋子，而是继续向前走，直到过马路之后，才从老师手中接过鞋子穿上。

看到这一幕，笔者不由地心生感慨：孩子们为什么如此守秩序地列队过马路呢？即使鞋子掉落也不停下来？当问及老师这个问题时，老师说："因为孩子如果不抓好绳子，不守秩序地过马路，就当不成好孩子，这对他们是最大的惩罚。"

同样，在企业里，如果有人不遵守制度，那么他就成不了好员工。对成人来说，仅仅当不成"好员工"，算不上一种惩罚，并不能促使大家遵守制度。那么，管理者在出台制度时，务必明确地附上奖惩措施。违反制度者，要受到什么处罚；遵守制度者，会得到什么奖励，这些要清楚明白地列出来，让大家看到其中的利害关系，收敛自己的不良行为，自觉地遵守制度。

第二，坚决维护制度威严，打击违反制度的行为。

有家公司的一名工人盗窃了工厂的产品，虽然产品数额不大，但负面影响极大。由于这名工人是工厂的老员工，平时与大家的关系处得不错，因此，当老板依据公司制度处罚他时，很多员工为他求情。大家说：“反正盗窃的数额也不大，而且老员工认识到了错误，就给他一个改过自新的机会吧！”

厂长非常生气，对大家说：“厂里的规章制度中明确地规定不准偷拿公司财物，并明明白白地写了处理方式，如果有制度不遵守，要制度有何用？”结果，厂长按照制度严厉地处罚了那名员工。这件事之后，公司里小偷小摸的行为减少了很多，而且当厂长按制度处罚员工时，再也没有人出来说情了。

企业制度为什么得不到落实呢？很大的原因是没有具体惩罚措施，或有了惩罚措施，管理者没有按处罚措施来处理违反制度的行为。这样制度就失去了威严，影响力也就骤减。因此，明智的管理者在出台制度之后，应该坚决维护制度的威严，打击违反制度的行为。这样才能遏制不良行为，保障企业健康发展。

第二节　制度越具体明确，执行越容易到位

企业规章制度重在贯彻落实，可有时候，还真不能怪员工不遵守规章制度。因为制度本身就存在问题，让人很难满意。我们经常看到一些公司的制度，摆在桌面上，挂在墙壁上，喊在嘴上，不是“严禁”，就是“不准”，看起来样样有规定、事事有约束，可一旦动真格的时候，这些制度就派不上用场，发挥不了作用。仔细分析一下，并非制度有错误，而是制度的内容“大而空”，漏洞百出，以至于几乎成为摆设。

一项制度有没有约束力，关键不是看经过了多少道程序出台的，也不是看描述这项制度用了多少笔墨，而是看这项制度是否与客观事实相符，条款内容是否具体明确。越贴近客观现实、规定越具体的制度，越不容易被误解，不容易被人“钻空子”，不容易执行“跑偏”，也就越容易执行到位。

看看国内外著名的企业，它们的制度都非常明确具体，应该怎么做，不应该怎么做，非常清楚，一看就明白。比如，日本东芝公司规定：严禁女员工擦粉，男员工必须刮干净胡子；操作机器时，禁止说话、咳嗽、打喷嚏，以防空气振动，扬起尘埃。正因为有如此细致、具体的规定，东芝公司制造的电子产品才会品质高端、精致可爱。

美国格利森齿轮机床公司的制度规定也很具体：只要进入车间，不论路过还是干活，必须佩戴安全帽，穿硬底皮鞋，并且要把领带掖在衬衫里面。如果有人不遵守安全制度，将会受到严厉的处罚。

中国山东青岛的海尔公司，规章制度也十分具体明确。海尔公司发展初期，有一个很有

名的“13 条规定”，每条规定都非常具体，包括上班不准迟到、不准打毛衣、不准在车间内随地大小便……这些在现在看起来很琐碎、细小，甚至令人发笑的规定，当年一个个针对的都是海尔公司的要害问题。

通过严格细化的管理制度，海尔公司很快地消除了企业不良之风，海尔人的工作面貌也有了很大的改善。与此同时，海尔公司树立了“有规必行”的管理理念，各项规章制度不再是“可有可无的摆设”。就这样，海尔逐渐从无序走向有序，成为一家有执行力的企业。

企业管理者花费时间和精力制定出规章制度，目的是让大家更好地执行、更容易地执行。如果制度的条款和规定空洞、抽象，让人看后不知所云，又叫人如何遵守呢？例如，有些公司的会议制度规定：会前要做好积极准备，会议期间要认真参与，会后要积极总结和反思。到底怎样才叫积极准备？又要准备什么？什么叫认真参与？认真参与有哪些表现？这些都没有具体规定，叫大家怎么遵守这样的规定？

相比之下，下面的会议要求就具体、细致了很多，大家一看就明白怎么做，做得好不好，对照一下制度细则，就可以做出评判，也便于管理者顺利地按照制度规定来处理不遵守制度的员工，防止违反制度者扯皮、抵赖。

会议要点	会议具体标准
会前准备	1. 根据会议议题及形式，提前通知相关会议人员或部门，明确告知会议时间、地点、会议议题； 2. 参会人员不得迟到，不得无故缺席； 3. 参会人员有事或因公事外出，必须提前 30 分钟向会议主持人请假，并委托好代理人； 4. 参会人员必须带记录本、笔和相关资料，提前做好发言准备。
会议纪律	1. 会议期间，将手机调成震动或关机状态，若有紧急电话，可请示主持人，到会场外面接听； 2. 会议期间，禁止拍桌子、扔东西、辱骂他人、擅自离场及其他扰乱会议秩序的行为； 3. 会议延迟，主持人需提前 10 分钟告知参会人员，经得同意才可延时； 4. 会议结束后，第二个工作日，整理会议记录、决议，报主持人审核，并发到各相关部门、责任人。
决议落实	决议必须有具体的完成时间、责任人、监督人，会议主持人跟进决议内容的发放时间、决议完成情况。

公司制定的各种规章制度，不能只是纸上谈兵。作为企业管理者，应该让制度落实到位，对于不遵守制度的行为，无论是谁，都要严格按制度处理，绝不姑息纵容，这样才能维护制度的威信，保证制度落实到位，维护企业的良性发展。

◎条款具体表现为：什么该做，什么不该做，明确指出

制度是对全体成员言行的一种规范和约束，表达的是管理者对大家的一种期望。因此，制度中应明确地告知大家：什么该做，什么不该做。比如，有家法国餐厅的工作制度中有这样一条规定：当客人向你提问时，永远都不能用“不知道”这三个字回答。如果你不清楚，应礼貌地向客人说明情况，然后马上想办法找到答案，再给客人一个满意的回答。

◎处罚明晰表现为：违者必罚，具体清晰

出台制度，是为了让大家遵守和执行的，必须附带处罚措施，这样才有威慑力；否则，违反制度的人得不到处罚，会让遵守制度的人感到不公平。比如，公司内部规定：“禁止吸烟，违者罚款 50 元！”烟民们在吸烟时，就得掂量掂量抽一支烟值不值得冒着被罚 50 元的风险了。

当然，除了必要的处罚措施，制度还应加入奖励措施，有奖有罚，更能激励大家遵守制度。值得注意的是，无论奖罚，都必须明确，不能模棱两可。诸如“奖励 100 元～ 500 元”“处罚 10 元～ 50 元”等模糊的表述，只会引起不必要的后患。

试想一下，当有人很好地遵守了制度，到底是奖励 100 元，还是奖励 500 元呢？当有人违反制度时，到底是处罚 10 元，还是 50 元？如果管理者随意地奖励或处罚，就会不知不觉陷入人情管理中去，很容易使员工感到不公。这对鼓励员工遵守制度显然是不利的。

第三节　管理者要做制度执行的表率

笔者接触过很多企业老板、管理者，他们在管理中要求员工遵守公司的规章制度，而他们自己却不积极做表率，维护企业管理制度的权威性。有些企业老板、管理者甚至成了规章制度的最大破坏者，经常理直气壮地违反制度规定，他们的理由是：制度是给员工制定的，对管理者无效。

中国有句古话叫“上梁不正下梁歪”，对于管理者的言行举止，员工往往会不自觉地效仿。管理者一面要求员工遵守公司的规章制度，一面又违反制度规定，这种自相矛盾的做法很难

服众。

管理者是企业的发号施令者，更是公司的排头兵。管理者的表现如何，大家都看在眼里，记在心上，有样学样。要想大家都遵守制度，管理者务必身先士卒，为大家做榜样，这样才能树立制度的威信，给员工积极的影响。

黄先生是一家公司的老板，他曾多次口头要求开会期间不允许接打电话。可是在开会期间，有些部属和员工没当回事。据反映，有些业务骨干一边拿着电话，一边说："对不起，是一位大客户的电话，很重要，必须接。"只有黄先生本人参加会议时，大家才自觉地把手机调到震动状态或静音状态。

黄先生意识到这个问题的严重性后，特出台一项会议制度，明确规定会议期间不得随意接打电话。为了给这项制度树威立信，制度出台后的第一次会议上，黄先生叫人提来一桶水放在会议室，然后对大家说："从今天开始，谁在会议上接听电话、发短信，一律将其手机扔进这桶水里。"

话音刚落，黄先生的手机响了（可能是事先安排的），黄先生毫不犹豫地将手机扔进水里。顿时，会场全体人员一下就怔住了。紧接着，又有一个中层管理者的手机响了。黄先生走过去，将他手机拿过去，毫不留情地扔进水里。黄先生的这一举动，让在场的所有人都意识到违反制度的后果。从此以后，开会期间大家乖乖地把手机关机。

公司出台制度是给全体成员遵守的，老板、管理者都属于公司的一员，怎么能逾越制度之上呢？管理者如果不遵守制度，意味着对制度、规则的破坏，不但会使制度失去威信，还会严重损害管理者的影响力。

聪明的管理者绝不会凌驾于制度之上，不会对下属说："照我说的做，按制度说的做！"而是对下属说："跟我这样做，按制度去做。"带头为下属做遵守规章制度的表率，这样可以很好地激励下属，凝聚人心，提升团队战斗力。

日本著名企业家松下幸之助曾经表示，要想提高企业的效益，管理者要以身作则，起带头作用，让下属从一开始参加工作，就养成敬业的工作习惯。正如孟子所说："有大人者，正己而物正者也。"管理者要学会自律，正人先正己。

◎喊破嗓子不如做出样子

俗话说："火车跑得快，全靠车头带。"管理者应该经常对下属说"跟我冲"，而不是说"给我冲"，就像美国巴顿将军说的那样："在战争中有这样一条真理：士兵什么也不是，将领却是一切……"这句话并非否定士兵的作用，而是说如果将领不带头做榜样，士兵会变得毫无战斗力。

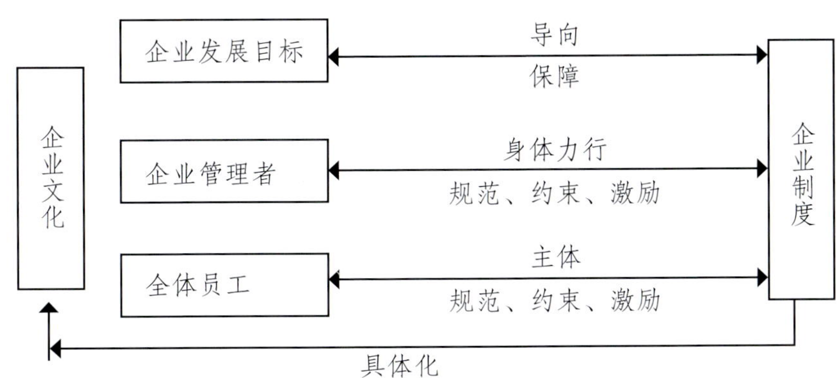

有一次，巴顿将军率军行进，途中汽车陷入泥潭。巴顿将军命令士兵道："你们赶快下车，把车推出来。"士兵们按照命令下车推车，拼尽全力终于把车推出来了。当一个士兵准备抹掉身上的污泥时，他惊讶地发现，身边还有一个满身淤泥的人，他就是巴顿将军。这个士兵一直记着这件事，直到巴顿将军去世，他才在巴顿将军的葬礼上，把这段故事告诉巴顿的夫人："夫人，我们敬佩他！"

不论是在执行具体的任务上，还是在执行制度时，管理者都应该像巴顿将军那样，拿出积极的态度，带头和下属战斗在一线。因为下属的状态，有时候取决于领袖的状态，领袖所展现出来的榜样，是下属学习的标杆。所以，如果你希望下属认真遵守规章制度，不妨先做出榜样给他们看，这对员工才有激励作用。

◎遵守规章制度不可忽视小事

有些管理者在执行制度时，只重视一些大问题，而不把小事放在心上。比如，上班迟到、开会时接电话、不注意节省公司经费等。这些小事看似不起眼，管理者忽视掉也很正常，但如果管理者能严格地要求自己做好这些小事，将会给管理者形象加分，提升管理者的领袖魅力，这样更容易赢得下属的称赞。

日本企业家土光敏夫就是一位非常注重执行制度中的小事的管理者。他刚刚出任东芝电器社长时，公司浪费现象十分严重。他当时推出一项关于节约的制度，并为全体员工做出了表率。

有一次，一位东芝的董事想参观名叫"出光丸"的巨型油轮。土光敏夫已去过这艘巨型游轮多次，所以他表示愿意带路。那天是休息日，他与那位董事约了见面地点。当董事乘公司的车来到会合地点时，土光敏夫已经在那里等候着，董事礼貌地说："社长先生，抱歉让您久等了。我看我们就搭您的车前往参观吧！"他以为土光敏夫乘公司专车来的，但没想到土光敏夫说："我没乘公司的轿车，我们去搭电车吧！"

听了这话，董事当场愣住了，他羞愧得无地自容。

为了杜绝浪费，使公司资源得到合理化的使用，土光敏夫以身作则，搭乘电车，给那位浑浑噩噩的董事上了深刻的一课。这件事很快就传遍了整个公司，全体员工立刻产生了警觉，大家不敢再随意浪费公司的资源了……

在遵守制度时，管理者以身作则，并且在小事上表现出应有的态度，这是企业领袖人物不可缺少的素养。一个严格要求自己的领袖，才能为员工起到表率作用。因为严格地要求自己，才能对员工起到表率作用。比如，公司规定不得在厂区内吸烟，管理者如果能抵抗烟瘾，下属往往也不会违反规定；否则，管理者做不到，又凭什么要求下属呢？即便下属嘴上没有怨言，心理也肯定不会服气。

第四节　制度面前，谁都没有特权

春秋时期，李离是晋国的狱官。有一次，他因误听下属的片面之词错判了一个案件，致使一个人冤死。在真相大白之后，李离十分惭愧，当即表示要以死赎罪。晋文公劝他说：官有贵贱，罚有轻重，再说了这件案子主要错在下面的办事人员，而不是你的罪过。

李离说：我平时没有跟下属说我们一起来当这个官，我拿了朝廷的俸禄和你们一起分享。现在犯了错误，我怎么能把责任推到下属身上呢？

最后，李离伏剑而死。

李离的故事告诉我们：在制度面前，谁都没有特权，如果管理者对自己网开一面，往往会制造不公平，这与平等的理念是相违背的。就像李离所言，自己当官拿的俸禄没有和下属一起分享，出了事故就不能把责任往下属身上推。管理者敢于正视自己的错误行为，敢于接受制度的处罚，这表现出来的是敢做敢当的勇气。

联想集团有限公司董事局名誉主席柳传志曾说：“企业做什么事，就怕含含糊糊，制度定了却不严格执行，最害人。”他认为，企业制定了制度、立下了规矩就要执行，管理者要和员工一样遵守制度，违反了制度就应受到处罚，绝对不能搞“特殊化”。

在联想，开会的时候总有人迟到，严重影响了会议的进展，很多事情在会议上都没法顺利讨论。为此，联想出台了一项制度：谁迟到了谁就要罚站，罚站一定要站 1 分钟。当迟到者罚站时，会议会停下来，大家看着迟到者罚站，像默哀似的，这让迟到者很难受。

联想刚制定这项制度时，第一个迟到的人是柳传志的老领导——原计算机科技处的老处长，柳传志说：“老吴，晚上我到你家去，给你站 1 分钟。但是今天，你必须罚站 1 分钟。”

当时真的很尴尬，但柳传志还是硬做了下来。老处长罚站时站了一身汗，柳传志坐在一边也是一身汗。

后来，联想的创始人之一张祖祥也因开会迟到被罚站。张祖祥是联想最早的副总经理、副总裁，虽然位高权重，但是违反了公司的制度规定，就要接受罚站。就算柳传志开会迟到了，也要受到同样的处罚。

柳传志就曾迟到过三次，也罚站过三次。他说："我被罚三次其实也不算多，因为我开会最多。有一次，我被困在电梯里，电梯坏了，我不停地敲电梯门，想叫人帮我去请假，最后没人应答。在这种情况下，我也要罚站。"

领导罚站，这在很多中国企业中，没人把它当真。但柳传志却给我们上了一课，他用实际行动告诉我们：领导违反制度，也要罚站。因为制度面前，人人平等。正是这种一视同仁的做法，促进了开会罚站制度的推行，很好地消除了开会迟到现象。

可能很多人看到的企业领导，往往和普通员工的待遇不同。公司的制度是为员工制定的，员工必须遵守，领导者可以超脱于制度之外，可以"为所欲为"。这种特权思想的可怕之处在于，让员工感受不到平等，感受不到企业的尊重，也感受不到制度的威严。员工遵守制度，那不过是"寄人篱下，不得不为"的无奈之举。要想改变这种状态，管理者应做到这样两点：

◎严于律己，决不可对自己网开一面

中国有句话说："善为人者能自为，善治人者能自治。"要想企业在激烈的市场竞争中获得发展，管理者必须要严于律己，这是推进制度落实的关键。IBM 创始人沃森认为，企业的最高管理者往往会犯一种严重的错误，那就是对自己和对员工采取不同的标准。当自己或其他管理人员违反了公司制度时，他们在处理的时候往往比较宽容，而对员工所犯的错误则严厉处理。

一天，沃森陪同客户前去厂房参观，走到厂门口时，被警卫拦住了。警卫对沃森说："对不起先生，您不能进去，我们 IBM 的厂区识别牌是浅蓝色的，行政大楼工作人员的识别牌是粉红色的，你们佩戴的识别牌是不能进入厂区的。"

沃森的助理彼特见状，大声对警卫说："这是我们的大老板，陪重要的客人参观。"警卫可不认识老板，他说："这是公司的规定，必须按规定办事！"警卫的做法赢得了沃森的认可，他对彼特说："他讲得对，快把识别牌换一下。"于是，所有的人更换了识别牌。

面对警卫的阻拦，沃森没用特权压人，而是自觉地遵守公司制度，这种视制度为最高纲领的做法，极好地树立了制度的威信。管理者放下架子，以一颗平常心看待自己，才能从内心深处接受制度的约束。

◎严于律人，违者必究，一碗水端平

在企业里，管理者总会对某些员工比较欣赏，对某些员工印象比较好，而对另外一些员工印象差一些。这就为“讲人情”留下了机会。如果管理者推崇“人治”，而不是“制度管理”，往往就会在几名员工犯了同样的错误后，有差别地处罚他们。这势必会制造不公平，造成下属不满。

赤壁之战中，关羽在诸葛亮的安排下，镇守华容道。由于曹操对关羽有很大的恩情，为了避免旁人心生猜忌，关羽立下军令状，表示一定要拿下曹操。然而，最后关羽还是在华容道放走了曹操。回来之后，面对其违反军法的行为，刘备站出来为关羽求情，结果这件事不了了之。

刘备身为管理者，在部属犯错时站出来说情，要求网开一面的做法，极大地破坏了制度的威信。但在制度化管理的企业，这种现象是不存在的。因为制度面前，人人平等。

当员工违反制度时，管理者可以找他谈话，开宗明义地指出：“你的表现有问题，你违反了公司的制度规定。”然后，按照公司的规章制度，逐条指出员工表现不佳的地方，提醒员工改正不良行为。如果涉及制度的处罚条例，应一视同仁地处罚，坚持这样做，员工的不良行为就会得到约束。

第五节　要让员工怕制度，而不是怕你

经常听到员工私下说：“领导来了……”然后，他们马上收敛自己的行为，表现出一副认真的样子。当领导离开后，他们又恢复原来的懒散状态。在遵守制度方面，员工往往也会存在这种现象：当领导在时，他们乖乖地遵守制度；当领导不在时，他们不把制度当回事。比如，老板不在时，员工上班迟到，下班早退。员工的这种表现是典型的“怕老板”，而不是“怕制度”。

怕老板、怕管理者的员工，往往会躲着老板、躲着管理者干违反制度的事情，他们的心理是：只要老板没发现我违反了制度就没事，哪怕同事发现了，也没关系。因为同事之间，往往都不会揭发。于是，员工和管理者之间就像“躲猫猫”一样，制度的推行难度加大，制度所发挥的作用大减。所以，管理者一定要想办法让员工怕制度。

康佳公司内部有一条规定：在工作场合不准吸烟。虽然这是一条很简单的规定，但真正执行起来却不那么容易。公司里有个二十多岁的员工，兼具学历和技术。该员工进入公司时，领导班子对他非常器重，他凭借突出的能力，从一个普通员工很快晋升为车间副主任。

在走向领导岗位之后，他工作更加积极，表现更加出色。但是他有一个毛病，就是喜欢吸烟。这与公司的明文规定是相冲突的，为此，他只好每天早上、中午上班前猛吸几口，然后强忍烟瘾之苦到下班。

有一次，该员工发现楼梯的拐角处比较隐蔽，是个吸烟的好场合，而且他认为这个地方不算工作场合，于是，他在上班间隙就来这里吸烟。终于有一次，他被公司的副总经理迎面撞上了。当时副总经理什么也没说，但这个员工很快就收到三条通告：第一，免去车间副主任的职务；第二，罚款；第三，全厂通报批评。

这一事件在公司引起了很大的反响，起初不少员工认为公司的管理太过强硬，太没有人情味，处罚力度太大。但是，自从这件事之后，大家开始敬畏这条制度，并认真地遵守，再也没有员工在厂区吸烟。

在西方管理学上，有一个著名的“热炉法则”，它将制度比作热炉，认为只要违反制度，就要受到处罚。这就像一个人触碰到热炉时，会被烫伤一样。康佳公司的做法与热炉法则不谋而合，很好地维护了制度的威严。热炉法则有四个特点：

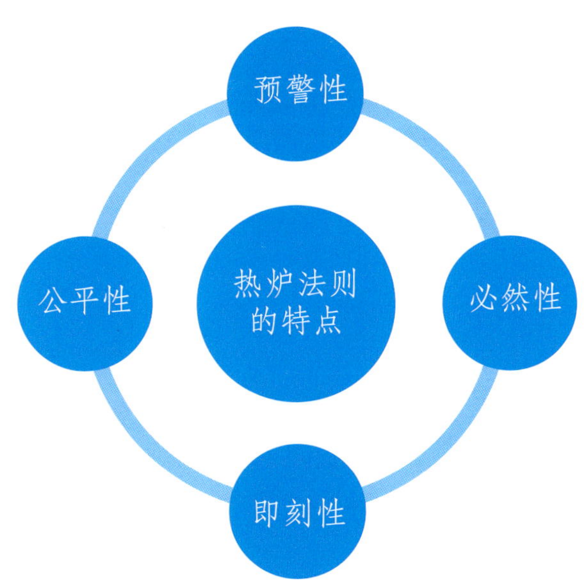

预警性——通红的火炉，就像一盏信号灯，提醒大家不要触碰；

必然性——只要你摸上去，必然会被烫伤，所以千万不要有侥幸心理；

即刻性——只要你碰到热炉，瞬间就会被灼伤；

公平性——不论是谁触碰了热炉，都会被烫伤，热炉不辨亲疏，不分贵贱，一视同仁地对待每个人。

每个企业都有自己的规章制度，这就是企业的条律，只要有人违反了它，就要受到处罚。在这些条律中，应明确地规定员工该做什么，不该做什么，做了不该做的会受到怎样的惩罚。只有做到令行禁止、不徇私情，才能真正让员工“敬畏”制度，才能保证制度发挥强大的约束和规范作用，保障企业健康良性地发展。

那么，具体来说怎样才能让员工怕制度，而不是怕管理者呢？

◎发挥制度的热炉效应，违者必罚

曾经被誉为“柯达女神”的叶莺表示，如果员工违反了公司的制度，违反了她的游戏规则，就必须受到处罚。由于人们对经济利益极为敏感，因此，罚款这种惩罚措施对员工具有非常大的警醒作用。当然，如果员工在遵守制度、贯彻落实制度方面表现出色，柯达公司也会用金钱奖励他们，以激发他们的工作积极性。

处罚和奖励并不是最终目的，而只是两种不同的教育手段，最终目的是通过这种手段强化员工好的行为、杜绝员工不好的行为。身为管理者，或许在给员工开罚单时，觉得于心不忍，觉得员工赚钱不容易。但是管理者要知道，这样对企业长远发展，对员工的发展都是有益的。反之，如果员工不遵守公司制度，导致执行力不高，影响企业效益，甚至导致企业破产，公司倒闭了，员工的利益怎么保障呢？

◎鼓励全体成员相互监督，保障制度的贯彻落实

很多时候，员工之所以怕管理者，而不怕制度，是因为除了管理者监督制度的落实，维护制度的权威，大多数员工没有参与到监督中来，即使发现了违反制度的行为，大家也不举报。管理者就像公司里仅有的几个摄像头，怎么可能监督到员工的一举一动呢？所以，管理者必须把全体员工调动起来，让大家相互监督，甚至可以设置“举报奖”，这样谁都不敢背着管理者违反制度，让大家真正地怕制度。

◎在处理违反制度的行为时，管理者要保持镇定

身为管理者，你要让员工怕制度，而不是怕你。因此，无论员工违规行为多么严重，你都应该保持镇定，不能情绪失控。如果你觉得自己正在失去冷静，那不妨先等一等，等到情绪平稳之后，再去处理员工的违规行为。

怎样平复自己的情绪呢？你可以闭上嘴巴，等一会儿再开口，或做拖延时间的事情，还可以告诉员工：“半小时后来我的办公室一下。”或和员工一起去休息场所，找个室外放松的环境，与员工谈一谈。但无论谈话多么轻松愉快，事后都要秉公执法。

第六节 制度要严厉，执行要有爱

在推崇制度化管理的企业中，出台的制度要严厉，并且要坚决以制度为准绳。当有人违反制度时，管理者应该公事公办，决不妥协。但在具体执行处罚时，管理者可以对下属表达关爱，这与按制度办事并不冲突；相反，这样既能维护下属的自尊心，还能消除下属的怨恨情绪，让下属感受到激励。

雷杰·H. 琼斯是20世纪70年代通用电气的董事长兼CEO（首席执行官）。有一段时间，琼斯发现企业骨干员工彼得老是精神不集中，生产的零件有很多质量不合格。这与彼得以往的表现反差很大。

经过一番调查后，琼斯发现彼得的妻子出了车祸，他既要照顾妻子，还要照顾孩子，因此，没有充足的时间休息，导致精神状态不佳，工作经常出错。琼斯没有对彼得手下留情，而是按照公司的制度规定解雇了彼得，他不想把同情与规章制度搅在一起。

不过，解雇彼得之后，琼斯通过个人的关系为彼得找了一份新的工作，这个工作离彼得的家比较近，方便他在上班之余照顾妻子和家人，而且这份工作的上班时间比较灵活。

琼斯的做法不仅没有让人觉得他不近人情，反而得到了公司其他员工的赞赏，因为他维护了公司的制度。大家都觉得他是一个好领导，都非常尊敬他。

严格按制度处理违规行为，并不等于冷酷无情。在处罚违反规章制度的下属时，管理者也可以表达人性化的关怀。著名的管理大师杰克·韦尔奇曾告诫人们："管理者在管理的时候可以讲人性，也必须讲人性，但是在处理问题的时候一定要严格执行制度，学会扮演黑脸。"在韦尔奇的回忆录里，记录了这样一个小故事：

韦尔奇的副总对别人说："昨天晚上，杰克请我吃饭，他非常热情地替我夹菜，还为我斟酒，吃完饭和我拥抱，但是我知道，那个老家伙叫我离开的决心是不会改变的。"三天之后，在杰克·韦尔奇的授意下，副总被人事部辞退了。

杰克·韦尔奇的做法表明，管理者可以对员工表现出人性化的一面，去关心员工、与员工谈笑风生，但是涉及原则性的问题，就应该回归到客观公正的立场，决不能把私人感情和企业制度搅和在一起，在处理违反制度的问题时掺杂个人私情。

事实上，人性化管理与制度化管理是相辅相成的。在管理中，倡导人性化、讲究人情味不等于抛弃管理制度，严格贯彻落实公司制度也不意味着抛弃人性和人情。最佳的办法是将两者有机地融合在一起，在恰当的时候使用合适的管理模式，既让员工心甘情愿地遵循制度，又让员工在人性化的关怀中收获感动，激发热情和能量。

◎私下处分，给员工留面子

当员工违反制度时，如果公开进行处罚，那么受处罚的员工会感到很没面子，甚至会产生逆反情绪，或对管理者产生怨恨，这样可能会导致事情恶化，影响上下级的关系。因此，如果没有必要，最好私下处罚员工，为员工保留面子。

当然，如果员工公然违反制度，而且和管理者作对，那么在这种情况下，管理者应当众迅速果断地采取行动，否则会损害制度的威信和管理者的形象。

◎消除怨恨，激励下属

处罚员工目的不是为了泄愤，不是为了打击员工，而是为了感化、教育员工。因此，管理者在处罚员工之后，别忘了和员工进行温情的谈话，引导员工认识到错误，鼓励员工改正错误。特别是当员工产生消极情绪和怨恨情绪时，管理者更应该做好事后的情绪疏导工作，消除员工的苦恼和怨恨，拉近员工与管理者心理上的距离。

有一次，索尼公司的一家分公司的产品包装出了问题，被东南亚的分销商投诉了。盛田昭夫非常生气，在公司的董事会上，他痛斥分公司经理，并要求公司以此为戒。分公司经理感到十分痛苦和难堪，禁不住失声痛哭。

会议结束后，分公司经理情绪十分低落。这时盛田昭夫的秘书却过来邀请他一起去喝酒，并表示这是盛田昭夫的嘱咐。喝完酒，秘书陪着经理回到家。刚进家门，经理的妻子就迎上来了，说：“公司对你真重视。”原来，公司派人送来了一束鲜花和一封贺卡，因为当天是该经理和妻子结婚二十周年的纪念日，这让经理十分感动。

为了公司的利益，盛田昭夫严厉地批评了犯错的部属，但为了避免彻底击垮部属的自信和热情，批评之后他没有忘记向部属表达关心和慰问。这种批评与关怀相结合的管理方法被称作“鲜花疗法”。在鲜花疗法中，既有严厉的批评和处罚，又有精神抚慰和贴心关怀。这就是制度与关爱相结合的管理之道。

第七节　营造遵守制度的企业风气

在企业管理中，流传一个很时髦的说法，叫“箱式管理”。箱子我们都知道，四面有隔板，中间有存放空间。这种结构既可以防止箱内的物品突破上下左右的界限，跑到外面去，又给了箱内一定的空间，让箱内物品有活动的范围。箱式管理就像是把公司放在一个箱子里，公司管理层制定一套规章制度，用来规范全体成员，令他们的言行不出界。

每家公司都可以拥有自己的箱子，即各项制度；每个箱子都可选用不同的材料来制造，这就会造成各种制度的严格程度各不相同。每个箱子留出的空间也可以不同，但如果给大家留出的空间太大，制度太松散，制度就会失去约束力。

当年汤姆斯·惠曼接管绿色世人时，发现公司制度松懈，大家行为散漫。为了整顿公司这种不良风气，惠曼针对现实情况，出台了相应的规章制度，并且加强了制度宣传。当有人不遵守制度时，惠曼会严格按制度规定来处理。

惠曼说："处理起来并不复杂，假如你打算在下午四点召开会议，提前要通知参会人员。如果有人没有来参加会议，你可以在他的桌上留一个便条，告诉他没见到他真的很遗憾，但你必须秉公执法，就这么简单！"

再比如，公司规定午餐时间为 1 个小时，但很多人总是拖拖拉拉地，有的人不但超过了 1 个小时，甚至 2 个小时还未回到办公室。针对这个问题，惠曼也提出了建议：

首先，必须解决一个问题：告诉大家，为什么你无法接受这种散漫的状况。譬如说，这是不敬业的表现，如果客户来公司办事，找不到相应的工作人员，公司的形象就会遭到破坏，还可能失去客户，让公司的利益受损。

其次，你要做的便是下决心惩罚那些不遵守公司制度的人，或采取罚薪的方式，或采取令其加班的方式。此外，还需仔细研究：为什么大家把午餐时间拖得那么长？是午餐时间太短，1 个小时大家根本无法完成进餐。还是另有原因？对于这些问题，应该如何处理？

很多中国公司习惯于"人治"，而不是"法制"，大事小事都由领导说了算，没有太多的规章制度可供遵循。这就很容易造成不公平现象，还容易滋生拍马之风。如果有一套完整的规章制度，任何事情都有条款可依，企业上下营造出一种遵守制度的风气，那么这些问题都可以很好地避免。

《孙子兵法》中指出，要规定明确的法律条文，用严格的训练严整军队，对士兵过于宽松，过于爱怜，结果会导致士兵不能严格执行命令，部队陷入混乱而不能加以约束。如今的企业面临着激烈的竞争，残酷程度不亚于战场拼杀，如果企业没有严明的纪律，没有良好的风气，企业是很难在竞争中取胜的。明智的管理者不妨借鉴惠曼的做法，用制度这个箱子约束大家，规范大家的行为。

◎加大制度的宣传力度

制度出台之后，并不是万事大吉。管理者应加大制度的宣传力度，让大家对制度的内容加深理解和认同，这关系到制度执行的好与坏。不少管理者出台制度之后，想当然地认为大家都知道这些制度，殊不知，很多员工可能并不了解制度的详细规定，特别是新员工就更不了解了。因此，必须加大制度的宣传力度。

想让大家遵守制度，就得让大家知晓制度、理解制度、认同制度。在这一点上，国外的一些企业是这样做的：他们给每个员工发一份公司制度文本，让大家阅读后，签署一份声明，表示已经收到、阅读、理解了公司的规章制度。这种做法很奏效。

有些国外企业还会将制度当成一本教科书，专门召开会议和员工探讨制度的具体规定，进一步讲解制度的要求，让大家明白其中的意义。这样有利于大家全面理解制度的要求，扫清认知障碍，从而让各种规章制度潜移默化地融入员工的主观意识当中。

◎讲清制度的利害关系

知其然，还要知其所以然。有些员工可能对公司的制度只了解表面的意思，制度的深层意义他们并不理解，也不明白其与自己的利害关系，这也不利于制度的执行和推广。因此，管理者有必要向大家讲清楚制度的利害关系，尤其是与员工切身的利益关系。

春秋时期，楚国芍陂县一带修建了一条南北贯通的水渠。这条水渠又宽又长，水量足以灌溉沿途的万顷农田，可每到旱季，沿堤的农民就会在渠水退去的浅滩种植庄稼，有些农民还把庄稼种到了水渠中央。等到河水上涨时，这些农民为了避免渠水淹没庄稼，就偷偷地把堤坝挖开放水。就这样，一条好好的水渠，被破坏得面目全非，而且决口处经常发生水灾，水利变成了水害。

对于这种状况，历代楚国芍陂县的行政官员都没有合理的应对办法，每当渠水暴涨成灾时，便调动军队去修建堤坝，堵塞涵洞，劳民伤财。到了宋代，李若谷出任知县时，面对这个头疼的问题，他出台了一项制度："今后凡是水渠决口，不再调动军队修堤，只抽调沿渠的百姓，让他们自己把决口的堤坝修好。"该制度出台后，再也没有人偷挖堤坝放水了。

故事虽然久远，但背后的道理让人深思。如果管理者在推行一项制度时，把这其中的利害关系明确地告诉全体成员，告诉制度的执行者，也许大家就不会为一己私利而做出有损企业的事情。

◎拿正反典型教育大家

为了宣扬遵守制度的企业风气，管理者可以利用报告会、演讲会、座谈会等形式，有针对性地对全体公司成员进行正反典型教育，这样可以更好地激励大家遵守制度。管理者还可以制造相应的事件，让大家从中看到制度的威信。

比如，古代商鞅变法时，为了推行变法，让大家相信法律，商鞅特贴出告示：能将一根木头从城南门搬到城北门的人可以获得 50 金。大家怀疑这是真是假时，有个年轻人扛起木头走到了北门，商鞅立即奖给他 50 金，并且当众宣传制度的公信力。这很好地提升了人们的法律意识，提升了大家对法律的认识水平。其实，企业管理者也可以开展类似的活动，通过明确奖罚，触动大家遵守制度之心。